voorbij de kl

aquarellen: ada van zelm
tekst: maarten rood

RECEPT

voorbij de klaprozen

uit het kruidenkastje van
moeder natuur aangevuld met
gedichtjes, legenden en volkstradities

aquarellen: ada van zelm
tekst: maarten rood

een kruidig boeketje

klein hoefblad helpt tegen de hoest,
kamille maakt je kalm en koest.
speenkruid bevat vitamine C,
duizendblad geeft goede thee.
smeerwortel werkt tegen reumatiek,
klein kruiskruid is sterk en uniek.
boerenwormkruid is werkelijk prachtig,
sintjanskruid heilzaam en geneeskrachtig.
moerasspirea gaf haar naam aan aspirine,
de brandnetel bevat veel vitamine.
akkerdistel is een boerenplaag,
engelwortel goed voor darm en maag.
bitterzoet verjaagd kwade geesten,
madelieven lusten de beesten.
de klaproos heeft een prachtige kleur,
en marjolein een heerlijke geur.
aan wilgeroosje heb ik mijn hart verloren,
de dovenetel zal het niet „horen".
veldzuring smaakt pittig en zuur,
de ereprijs verdient de natuur.
paardebloem is goed te eten,
weegbree verzacht de wespesteken.
het is allemaal leuk om te weten,
zal ik morgen toch maar spinazie eten?

klein hoefblad tussilago farfara L.
(hoestkruid , paardevoet)

maart - mei
10 tot 30 cm

= lentekriebels kietelen tintelfris
de eerste bloempjes tot leven.
ze ontluiken bij schemerende duisternis
om de lente vrolijkheid te geven,
het winterse landschap te sieren
en stralend het lentefeest te vieren.=

klein hoefblad sluit 's avonds haar bloemen.
het is een echte zonaanbidster.
de Romeinen gebruikten het al als middel tegen de hoest. (bronchitis).
ook nu nog is het in de homeopathie een medicijn tegen hoest en aandoeningen van de ademhalingsorganen.

de naam hoestblad zou verbasterd zijn tot

- blad

de bladeren verschijnen pas na de bloei, zijn eetbaar en bevatten veel vitamine C.

witte dovenetel   lamium album L.
(zuignetel , pappezoegers)

maart - november
10 tot 50 cm

weet je nog hoe vroeger kinderen de nectar
uit de bloemen zogen?
zo waren ze de concurrent (hommels en bijen)
vaak een slag voor.
deze kunnen trouwens de nectar moeilijk be-
reiken, want die zit nogal diep.
als een bekwaam inbrekersgilde bijten ze
daarom vaak een opening in de kroonbuis.

de witte en paarse dovenetel
zijn geen familie van de
brandnetel.

stengel van:

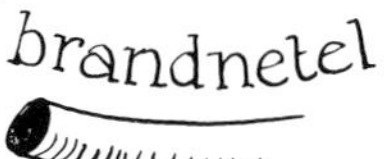

= de brandnetel vertelde
verscholen tussen het loof,
een netelige kwestie,
maar haar buurvrouw die was „doof." =

als geneesmiddel wordt het aangewend bij
onregelmatige menstruatie en blaaszwakte.

driekleurig viooltje viola tricolor L.
(stiefmoedertje , drievuldigheidsbloempje)
april - september
5 tot 30 cm

het viooltje is een echte zonaanbidster.
zoals zoveel zonliefhebbers draait ze haar gezicht met de zon mee.

de duitsers noemen haar "stiefmoedertje".
die stiefmoeder – het onderste blad – draagt zelf de mooiste kleren. zij speelt de eerste viool.
de twee blaadjes erboven zijn haar eigen dochters. de bovenste kroonblaadjes zijn de stiefdochters.
zij besluiten het vioolspel en hebben de minste plaats en de minst mooie kleren.

als geneesmiddel wordt het vooral aangeraden bij huidaandoeningen. (eczeem)

= in de herfst
als de vruchten rijp zijn
springen ze open met alle geweld
en schieten hun zaadjes in het veld.
de natuur die scheidt koren en kaf.
zó werpt de plant haar vruchten af. =

de mieren helpen een pootje mee
aan de verspreiding van het
zaad...

bernagie borage officinalis
(komkommer bloem, nachtlichtje)

juni - augustus
tot 90cm

bernagie stond vroeger bij de kruidendokters hoog aangeschreven. de plant bevat mineralen en heeft een spierontspannende en vochtafdrijvende werking.

het jonge blad is eetbaar, lekker in salades, en bevordert de spijsvertering. het aroma doet denken aan augurken en komkommers.

bladeren en bloemen in wijn gedaan zouden de mensen vrolijk maken.
of was het alleen de wijn?

bernagie is een éénjarige plant en stamt oorspronkelijk uit het Middellandse Zeegebied.

de decoratieve bloemen kun je vaak in antiek borduurwerk tegenkomen.

sierlijk borduurt de natuur
met naald en draad
de blauwe sterretjes van de bernagie
zonder dat ze een steekje vallen laat.

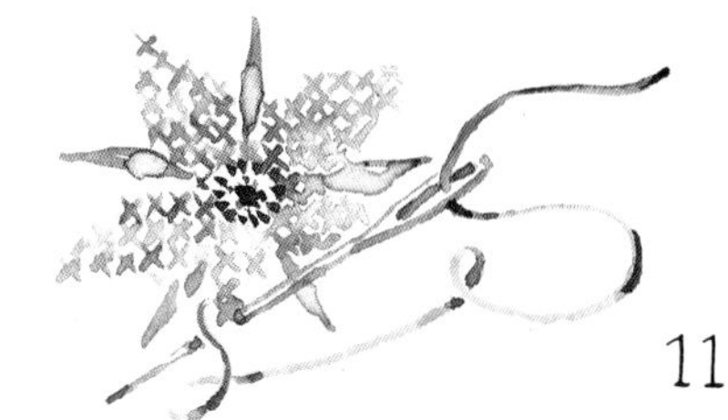

dotterbloem caltha palustris L.
(waterboterbloem, geelbloem)

april - mei
30 tot 50 cm

al vroeg in het voorjaar zijn de goudgele dotterbloemen te bewonderen.
je kunt ze beter niet plukken, want de bloemen worden gauw slap. ze groeien langs de waterkant en op vochtige weilanden.

men gebruikte de bloemen om aan de boter een mooie kleur te geven.
de jonge knoppen werden geplukt om er eten mee te kruiden.

de verspreiding van de zaden past goed bij de standplaats. de zaden hebben n.l. kamers die met lucht gevuld zijn en blijven daardoor een tijdje op het water drijven.

de plant is giftig en wordt alleen gedroogd door het vee gegeten.

= de rode avondzon
zet de geelbloemen in brand,
maar hun schoonheid
wordt langzaam gedoofd
door de weerspiegeling
aan de waterkant. =

in de middeleeuwen deed de bloem dienst als afweermiddel tegen boze geesten en blikseminslag. tevens werd het gebruikt tegen geelzucht en bloedarmoede.

veldzuring rumex acetosa L.
(nierkruid , schapebloem)

juni - september
30 tot 50 cm

=het najaar strooit haar kleurig palet
van geelrode roestbruine tinten
door de koperen zon in betovering gezet
met een sliert van nevelige linten.=

let in de herfst eens op die prachtige kleuren van de veldzuring in het landschap.

heb je 's zomers dorst? kauw dan op de stengel. de zure smaak is een prima dorstlesser. je merkt ook meteen dat het familie is van de rabarber.

de jonge groene delen van de plant zijn eetbaar. ze bevatten veel oxaalzuur en vit. C.

zuringbladeren werden vroeger gegeten om mondzweren te genezen.

de gedroogde plant is in boeketten heel decoratief.

akkerdistel cirsium arvense L.
(boerenplaag , haverdistel)

juni - september
tot 120 cm

= de landman bewerkt het veld,
voor hem is dat zijn geld.
aan distels heeft hij het land
ze nemen het voedsel weg voor de plant.
dat steekt hem toch wel even,
want hij moet er van leven. =

= de distel is decoratief
bijen en vlinders hebben haar lief.
ze kan het onheil weren.
vogels kunnen er fourageren.
het geldt dus ook voor planten:
bekijk het van meerdere kanten. =

de volksnaam duidt al op een lastig onkruid.
de wortelstok zit diep in de grond. de plant is zó
moeilijk uit te roeien en heeft bovendien minder
gauw watergebrek dan de cultuurgewassen.

gewone ereprijs
veronica chamaedrys L.
(meisjestrouw,ogentroos
Ereprijs
mei - juni
10 tot 50cm

= fier geharnast te paard
vocht hij voor haar
met zijn vurige zwaard.
en toen hij eenieder
in 't stof had doen belanden
kreeg hij van haar
de ereprijs in handen. =

in de Middeleeuwen kreeg de winnaar van een toernooi een krans om, gevlochten van deze bloemen.

de Latijnse naam Veronica werd in verband gebracht met de vrouw uit het lijdensverhaal. zij droogde het gelaat van Christus met een doek af. een afbeelding bleef op de doek staan. op de bloemblaadjes van de ereprijs zag men een beeltenis, waarin men Christus meende te herkennen.

thee van de ereprijs wendde men aan bij de behandeling van oogontstekingen. (ogentroost)

look-zonder-look alliaria petiolata
(viebloem , knoflookskruid)

mei - juli
20 tot 100cm

neem eens een blad tussen je vingers en wrijf
het goed fijn.
je ruikt nu de typische knoflook- of uiengeur
die niet door iedereen wordt gewaardeerd.
het is ui zonder ui (look = ui), vandaar de naam.
in Duitsland noemt men
het Knoblauchskraut.

de plant is familie van koolzaad en pinksterbloem.
dat is mede te zien aan de rechtopstaande
vruchten. (hauwtjes)
de bladeren zijn eetbaar.

= ik gaf haar look zonder look.
zij zweeg.
haar handen bleven leeg.
plots begreep ik,
dat ik haar zoëven
een bloem zonder bloem had gegeven. =

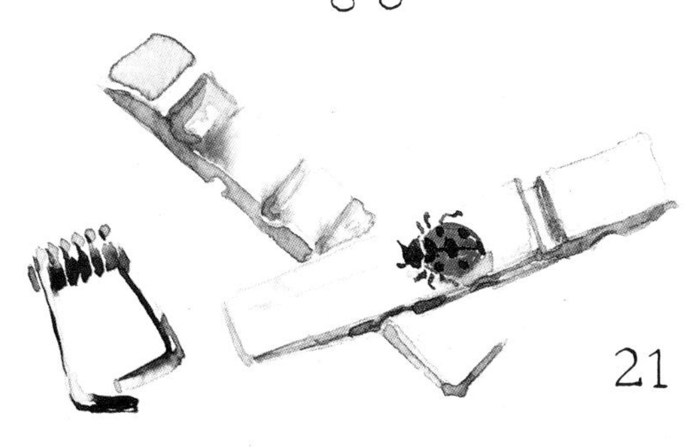

speenkruid ranunculus ficaria L.
(speendistel , haneklootje)

maart - mei
tot 25 cm

eind februari begin maart kan je in de parken
haar eerste bloempjes alweer bewonderen.

=tussen het dode dorre blad
straalt het nieuwe tere leven
als gele sterretjes die zweven
aan de flonkerende lentehemel.=

het plantje vermeerdert zich door wortelknollen (speentjes), okselknolletjes in de oksel van de bladeren of door zaad.

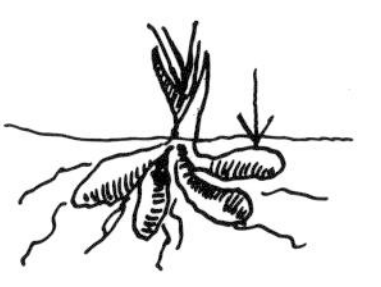

of..

of...

in Duitsland heet het scharbockskraut (scorbutus = scheurbuik). vroeger kreeg men na lange winters of scheepsreizen scheurbuik door een tekort aan vitamine C.
de verschijnselen hiervan waren: het uitvallen van de tanden, botontkalking, gewrichtspijnen en sterke vermagering.
een goedkoop medicijn waren de jonge blaadjes van het speenkruid die veel vitamine C. bevatten.

pinksterbloem   cardamine pratensis L.
(waterviool, paasbloem)

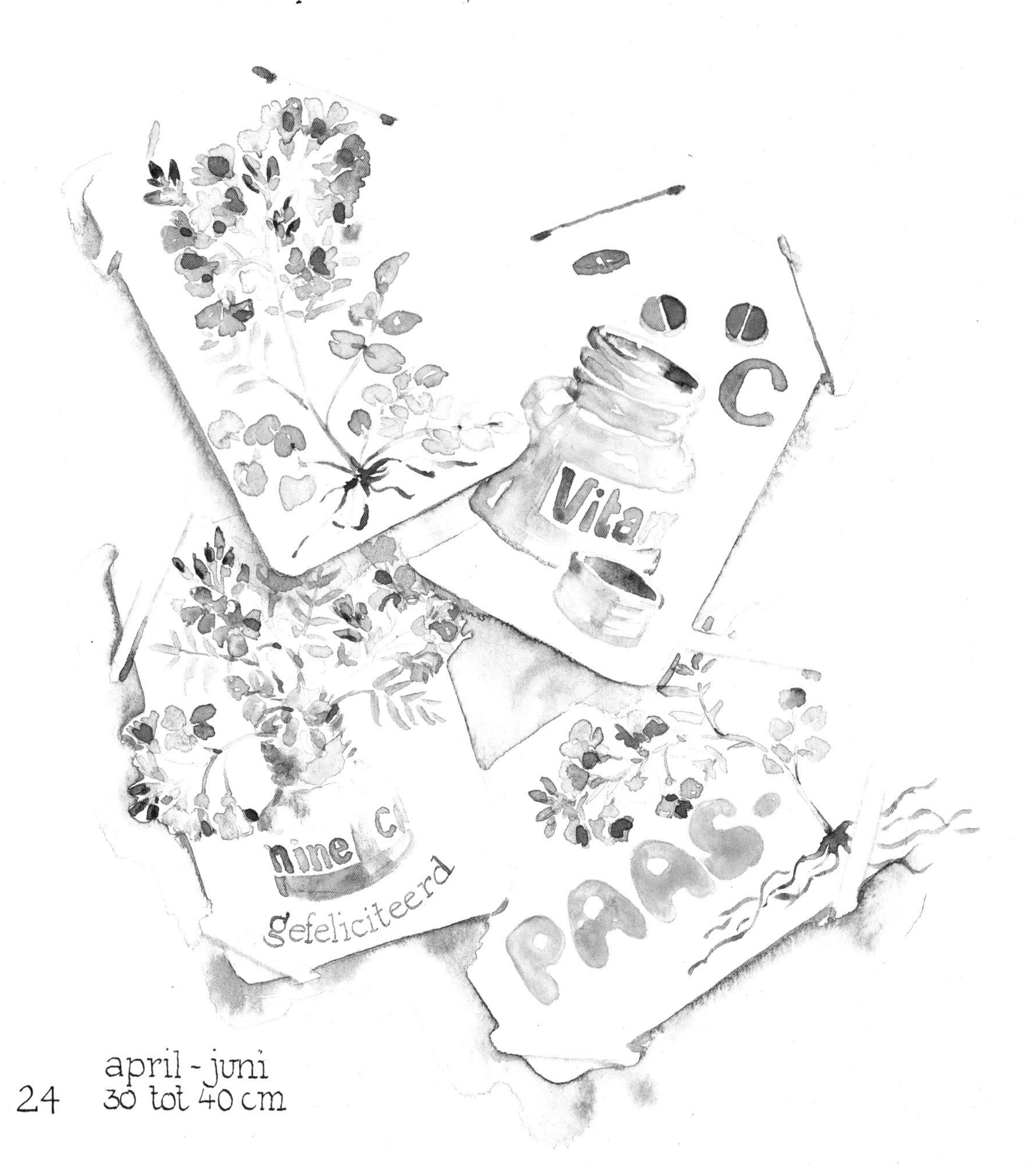

april - juni
30 tot 40 cm

als het Pinksteren is zijn de meeste bloemen al uitgebloeid. in sommige streken noemt men ze daarom wel paasbloemen.

in Frankrijk dacht men dat de plant een bijzondere aantrekkingskracht had op adders.
wie de bloem plukte zou binnen een jaar door een adder gebeten worden.

vrucht van de pinksterbloem heet:
hauw!

er zat een
addertje
onder
het
gras

"de verse blaadjes bevatten veel vitamine C
men kruidt er soep of salades mee."

Vit.C

= de pinksterbloemen
dansen vrolijke pasjes
met de vlinders
in hun luchtige lentejasjes.
ze flirten en lonken,
staan feestelijk te pronken
in hun zachtpaarse japonnetjes
en zetten de velden
zo in het zonnetje! =

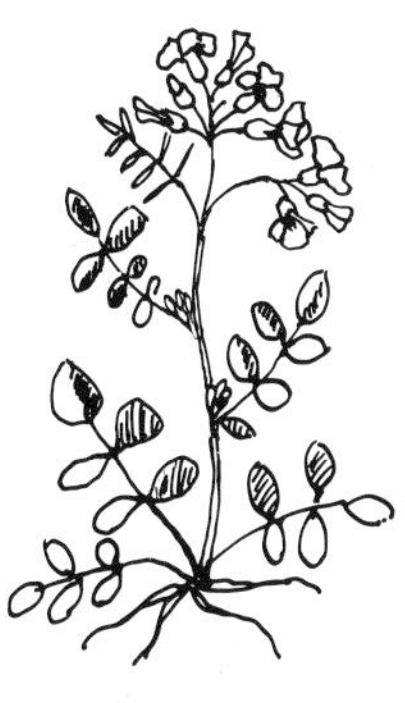

paardebloem taraxacum officinale L.
(molsla , melkbloem)

maart - september
10 - 50 cm

je vindt haar misschien te alledaags. ze verdient toch wat méér waardering, zonder haar over het paard te willen tillen.

de planten bevatten veel vitaminen, minera-len en geneeskrachtige eigenschappen.
de jonge blaadjes zijn als groente te eten. (molsla)

paardebloemthee helpt o.a. bij blaasont-steking en spijsverteringsstoring.

=de kogelronde pluizebol
met haar is alles pluis.
haar zaadjes waaien met de wind,
ver van haar eigen huis.
de kogelronde pluizebol
is wonderlijk gebouwd.
blaas je haar leeg in énen keer,
dan word je honderd jaren oud.
misschien zelfs honderdelf,
maar de langste adem heeft zijzelf.=

ingesneden
krullen
stengels

gewone engelwortel angelica sylvestris L.
(pestkruid)

juli - september
tot 180 cm

een engel zou het kruid hebben aangeprezen
als geneesmiddel tegen epidemieën. (pest).

geelgerande watertor

=in de zomer opent de engelwortel
teer en wonderbaarlijk
haar paraplu,
gestoken in een rozet van bladeren.
in de herfst
laat ze uit haar gerijpte schermen
een nieuw nageslacht
regenen over de aarde.=

in sommige landen hingen moeders de kinderen een wortel om de hals om heksen te weren.

als natuurgeneesmiddel
toepasbaar bij maag- en
darmstoornissen, winderigheid en nervositeit.

de stengel heeft een zoete smaak en bezit aromatische stoffen. men kookte deze vaak mee met rabarber om de wrange smaak te neutraliseren.

gewone klaproos (papaver rhoeas L.)
(korenroos, hondroos)

mei - juli
20 - 60 cm

= de rode bloemen in het rijpe koren.
ze staan er mooier dan ooit tevoren.
wiegend tussen de gouden gloed,
alsof de akker zachtjes bloedt =

vouw de bloemblaadjes eens om.
je krijgt dan een soort zakje.
als je er een klap op geeft, springt het met
een knal open. („klap"-roos)
het sap is giftig.

hoe komt die zwarte vlek
op de bloembladeren?

tijdens de schepping stond de klaproos trots
met haar schoonheid te pronken.
God strafte haar voor die ijdelheid.
de duivel mocht haar aanraken.
overal waar satan dat deed ontstonden
zwarte plekken.

de klaproos is een herinne-
ringssymbool voor de doden
uit de eerste wereldoorlog.
men noemde de plant ook
wel „doodsbloem", omdat ze bij
duizenden groeiden op de graven
van de soldaten.
klaproosdag is
op 11 november.

inhoudsopgave

van maarten rood en ada van zelm
zijn eerder verschenen:

„dat is me wat moois"	isbn	9062554172
„blijf nog even"	isbn	9062554350
„wensbloemen"	isbn	9062554504
verjaardagkalender	isbn	9062554393
„hennie de kip"	isbn	9062554520